KB075705

고스란히 그대에게 닿았다

고스란히 그대에게 닿았다

노소영 시집

이 책을 펼치신 분께

평소, 내몰린 마음을 위해 무얼 하시는지 궁금합니다.
저는 제가 먹기 위해 요리를 하듯,
제가 읽기 위해 종종 글을 씁니다.

> 너무 애쓰지 마, 잘하지 않아도 돼,
> 서두르지 마, 흘러가는 대로 살자.
> 과거를 회상하며 자기연민에 빠져도 괜찮고
> 미래를 상상하며 기우에 빠져도 괜찮으니
> 현재로 돌아오기만 해.

저의 글은 저의 최면이 되기도 하고
저의 위로가 되기도 하고
조급한 마음이 어리석은 실수를 저지르지 않도록,
제동을 걸어주기도 합니다.

차마 타인에게 말할 수 없었던, 그러나 미련 없이 모두 버리고 싶지도 없었던, 그 모든 이기심과 욕심을 글로 써 내려가며 해소하기도 하고, 부끄러울 만큼 옹졸한, 그럼에도 없었던 일로 초연히 받아들이고 싶지 않았던 그 모든 서운함과 서러움을, 글을 통해 연소시키기도 합니다.
침착한 척했지만 사실은 그렇지 못했던 일을 토로하며 다시금 평정을 찾기도 하고, 알고 있지만 인정하고 싶지 않았던 나의 잘못을 적어 내려가며 수긍하기도 합니다.
그래서 제법 시시콜콜합니다.

이것은 저의 시시콜콜한 푸념이자,
최면이자, 작은 서사입니다.
편하게 읽어주세요.

2024년 7월.
노소영

차례

제법 괜찮아진 줄 알았건만,
좀처럼 괜찮지가 않은 밤.

떠나가는 인연 앞에 초연하지 못하고
다가오는 인연 앞에 관대하지 못한 어른이 되어버렸다.

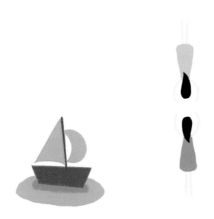

안부

돌아가지 않고자 해.
미안하지만 나는 그러기로 마음을 단단히 굳혔어.

떠나오면서 생각했지,
언젠가는 내 자리로 돌아갈 것이라고.
유랑하면서 깨달았지,
더는 내가 돌아갈 자리는 없다고.

수많은 변화가 자연재해처럼 내 삶을 덮쳤고
내가 자라온, 내가 믿어온 이곳이
더는 내가 알던 그곳이 아니라는 것을,
따라서 이 이후의 삶은 달라져야 함을
난 본의 아니게 깨달아버렸어.
영영 모르고 싶었던 것 같아.

미안하지만 나는 돌아가지 못할 것 같아.
더는 네가 알던 내가 아니고, 내가 알던 나도 아니야.
떠나오면서 생각했던 돌아갈 자리는
더 이상 남아있지 않더라.

여전히 나침반과 하늘만 올려다보고 있지만
언젠가는 네게 소식을 전할게.
더는 나침반을 보지 않게 되면
반드시 네게 소식을 전할게.

그때까지 안녕히.

네가 내게로 왔다

네가 내게로 걸어올 때
나는 비로소 나의 어둠을 보았고
네가 내게로 손 내밀 때
나는 비로소 나의 벼랑을 보았다.

내일을 꿈꾸던 오늘이 없었기에
내일이 무너져 내리는 혼란을 모르고 살았고
어제를 그리던 오늘이 없었기에
추억할 기쁨이 없음을 슬퍼하지 않고 살았다.

네 걸음 끝에 달린 빛 한줄기가
내겐 슬픔이자 기쁨이었고
네 손짓 한 번에 흩뿌려진 물방울들이
내겐 어제이자 내일이 되었다.

내일이 없으리라 굳게 믿었던 내 삶에
내일이 있을지도 모른다는,
절망이자 희망이 생겨나 버렸다.

네가 내게로 왔다.

징검다리 위에서

그날 밤 그대의 위태로움이 사랑이었음을,
계절이 지난 뒤에야 알아버렸다.

내 손을 말없이 꽉 붙들던 고집이 그대의 간절함이었음을,
한없이 가벼이 내쉬던 한숨이 그대의 불안이었음을,
별다른 설명 없이 들려준 그 음악이 그대의 고백이었음을,

그 모든 그대의 위태로움이 사랑이었음을,
계절이 지난 뒤에야 알아버렸다.

미안하단 말은 하지 않으련다.
흐르는 시간을 가둬, 고인 물이 썩듯 그리 두진 않으련다.

그날의 위태로움은 위태로움으로 보내자, 그대여.

그대도 나도, 서로 다른 시간을 훔치던 사람이니
마주할 수 없던 그 모든 시간을 원망하지 말자, 그대여.

나의 나약함을,
그대의 위태로움을 탓하지 말자, 그대여.

앙금

상처는 앙금처럼 가라앉는다.
가라앉은 앙금은 무게중심을 아래에 두고
나를 세차게 끌어내린다.
그래서 그런지 오늘 유독 몸이 무겁다.

지지 않으리라 굳게 다짐했건만
상처가 악어입 마냥 이렇게까지 벌어진 걸 보니
지는 게 답이었을 지도 모른다는 생각을 해본다.

발버둥 칠수록 근육의 움직임에 따라 환부는 벌어졌고
끝끝내 이렇게 굴복할 것을,
나는 왜 지지 않으려 그리 애썼는지.

후회하지 않으리라 굳게 다짐했건만
한숨이 이렇게까지 땅을 꺼뜨리는 걸 보니
후회하는 게 쉬운 길이었을 지도 모른다는 생각을 해본다.

　　승과 패는 삶에 있어서 그리 중요하지 않아,

언젠간 네가 말했다.

너는 지는 것을 두려워하지 않았고
이기는 것에 기뻐하지 않았다.
너는 늘 마음을 그곳에 두고 있었다.
모든 해답은 나에게 있다며,
책임을 전가하려는 듯한 너의 말이
결국엔 다 맞았다.

답은 나에게 있었고
나는 답 없는 그 질문으로
이 앙금을 조금씩 걷어내 보려 한다.

서두르지는 않으련다.
네가 걸어가듯이 나도 그렇게 걸어가련다.

누군가의 일기

시들어가는 꽃을 보는 일도 쉽지 않은 데,
시들어가는 당신 보는 일이 내게 얼마나 어려운지.

꽃 같은 나이에 나를 낳아
당신은 나를 꽃으로 만들었고

꽃같이 하루에 한 살씩 나이를 먹기 시작한 당신은
꽃같이 시들어 가며
꽃같이 땅과 부쩍 가까워졌고,

그렇게 서서히 내게서 멀어지는 당신이
나를 얼마나 어렵게 하는지.

당신도 시들어가는 당신을 보는 일이 얼마나 어려울지,
당신도 당신이 시들고 있다는 사실을 아는 것 같아서,
그게 얼마나 나를 어렵게 하는지.

미완성

그대와 나, 참 오래도록 바라보았다.

떠나라 소리치며 매몰차게 밀쳐내도,
그대와 나, 참 오래도록 맴돌아왔다.

기억은 시간이 데려가 주길
시간은 기억이 대신해 주길 바라며

그대와 나, 참 오래도록 머물러왔다.

오랜 작별인사와 함께
빛바랜 수많은 기억들이,
흐르는 물처럼 손가락 사이로 빠져나가는 장면을
무력하게 바라보면서도
나는 차마 그대의 옷자락을 놓지 못했다.

놓았다고 해서 보내는 것도,
보냈다고 해서 놓았던 것도 아니었던,

그대와 나, 참 오래도록 치열했다.

당신아,

당신 그림자에 저항할 수 없다면
나 그냥 당신에게로 기울련다.

고된 피어남을 뒤로하고
나 그냥 당신 앞에 흐드러지련다.

걸어가는 중입니다

살다 보면 그래,
평생 기억에 남을 것만 같던 일들도
생각보다 쉽게 잊히곤 해.

나의 저장고 어딘가에
거미줄처럼 남아있을 것만 같아서
언제 어떻게 없애야 하나, 조바심을 냈던 일들도
'오늘' 앞에서는 꼼짝 못 하는 그저 '어제'일 뿐이지.
감정을 지나치게 소비했던 그 순간이 조금 우습기도 해.

나를 모두 연소시켜 가며 내뿜었던
그 모든 감정을 뒤로하고
아무 일도 없던 것처럼 오늘을 살게 되는 날이 있어.
밤낮없이 찾아오던 슬픔이 사그라들고
밤낮없이 끼어들던 통증이 막연해지는 순간 말이야.

그때 다시 한번 깨닫지.
안타깝지만 역시나,
조금씩 나아지는 건 없다는 것을.

내일은 오늘보다 괜찮아져 있을까

이미 답을 알고 있기에
차마 물음표를 붙이지 못했던 질문과
잠들기 전 품었던 기대도,
결국 아무 소용 없었다는 것을
다시 한번 깨닫지.

기대하지 않고
각오와 인내를 가지고 내일을 맞이해볼게.
그렇게 어제를 걷다가
문득 오늘을 살게 되면
인내했던 만큼 기뻐할게.
그땐 너도 함께해주길.

고요한 어느 밤

외로움이 달을 타고 달리던 밤이었어.

멈춘 시계를 바닥에 놓고
그 옆에서 나는 있는 힘껏 발을 구르며
시침이 다시 움직이길 숨죽여 기다렸지.

소란함을 잃어버린 공간에는
바닥을 떠나 길을 헤매던 먼지들이
금세 자리를 잡고 정적을 메웠어.

나는 아무것도 할 수 없었고
아무것도 나를 움직이게 할 수 없었어.
그저 달을 타고 달리는 외로움을
창밖으로 숨기는 일 말고는
그 무엇도 할 수 없었지.

그때 깨달았어.

나도, 너도
달이 될 수 없다는 것을.

우리는 기억에 젖어,
달을 달리고 서러움을 노래하는,
한낱 고요에 불과한 존재라는 것을
그때 깨달아버렸지.

그런 날이 있다

뜨는 해에도,
지는 해에도 눈물이 나는

지는 꽃에도,
피어나는 꽃에도 눈물이 나는

굴러가는 낙엽만 봐도 목이 메고
툭 건들면 울음이 터질 것만 같은,

콕 찌르면 호기롭게 팡 소릴 내며
볼품없이 일그러지는 풍선처럼,
그렇게 쉽고 요란하게 무너지고 싶은 날이 있다.

방법은 없다.

해를 바라보며 울고
꽃을 바라보며 울고
낙엽을 바라보며 울다가
호기롭게 팡 소릴 내면서
볼품없이 일그러지며,
오늘은 그냥 그렇게 지내기로 한다.

회상

네 생각에 잠 못 이루진 않았지만
마음을 뒤척이던 수많은 밤이 생각나서,

네 생각에 나의 세계가 요동치진 않았지만
가슴에 손을 얹고 힘을 주어,
일렁이는 마음을 멈춰보려던 수많은 노력들이 생각나서,

네 생각에 밥을 못 삼키진 않았지만
아무런 맛이 느껴지지 않았던 그날이 생각나서,
네 생각에 눈물을 쏟아내진 않았지만
아무런 감동이 없었던 그날이 생각나서.

어쩌면 네 기억 속에 나는 한낱 바위일지도.
그렇지만 너를 마음에 품고 있던 그 찰나만큼은
나에게도 낭만이 있었다는 것을,
나에게도 열병이 있었고 온도가 있었으며
나에게도 욕심이 있었고 꿈이 있었다는 것을.

벼랑 끝 인사

순식간이었습니다.
겨울날, 얼어붙은 창문을 억지로 여는 순간,
기다렸다는 듯 치고 들어오는 칼바람처럼
정말이지, 순식간이었습니다.
눈을 뜰 수조차 없었지요.
그래서 숨까지 턱,하고 막히더군요.

모든 게 생각했던 것보다 더 빨랐습니다.
조금만 더 기다려주실 수는 없었는지요.

알고 있습니다.
작별을 고하는 당신도 힘드셨겠지요.
잘 알고 있습니다.
작별을 등지고 서기엔 너무 멀리 와버렸다는 사실도.

잘 지내세요, 라는 말이 쉽게 나오질 않아서,
쉽게 나오길 기대하기엔 나란히 걸은 시간이 너무 길어서,
정말 끝인가 싶어, 괜스레 자꾸 돌아보게 되더군요.

내일이면 아주 조금 쉬워지려나, 기대를 해보지만
아직은 무리일 것 같습니다.

오늘은 비가 오길 기다려보아야겠습니다.
당신도 나도 비 오는 날의 산책을 좋아하지 않았으니
오늘은 비가 오길 기다려보겠습니다.

뒤늦게 찾아온 봄 앞에
나는 생각했다.

호의라고 굳게 믿었던
그 순간 너의 거짓이,
결국 한낱 도망일 뿐이었음을,

그것은 결코 낭만이 아니었음을.

세월살이

방 세 칸짜리 짐을 싣고
방 한 칸짜리 서울집으로 이사를 오던 날.

국민학교 3학년,
내 작은 몸뚱이는 짐칸에 실려있었다.

주인집 계집애는
아랫집 나를 축구공처럼 다뤘고
행여 물소리가 요란스러울까,
셋방에서는 수돗물조차 마음대로 틀 수 없었다.

엄마는 2시간 쪽잠을 자고 일어나 일터로 나갔고
나는 읽은 책을 읽고 또 읽으며
쥐 죽은 듯이 방에 숨어
엄마가 없는 시간을 지루한 듯 지루하지 않게 보냈다.

울고 싶진 않았다.
그땐 그게 서러운 줄도 몰랐다.

이제 와 픽이나 그게 서러운 걸 보니
비로소 등이 따시긴 한가보다.

짐칸에 실려있던 내 몸뚱이는
이제야 두 다리 쭉 뻗고 잠을 자는 데

어쩐 일인지 울 엄마는 허리가 굽을 대로 굽어
하늘조차 올려다보질 못하는지.

침 튀겨가며 동네 아줌씨들과
잘도 싸우고 다니던 울 엄마 목청이,
이젠 쪼그라들 대로 쪼그라들어
개미 같은 목소리로 미안하단 말만 반복하는지.

그 억척스러움이 부끄러웠던 그 시절이 그리워,
코끝이 시큰해지리만큼 서러운 오늘.

오늘도 울 엄마는 조금 더 작아져 버렸다.

해가 달처럼 떠오른 그 어떤 날에

오늘은 해가 달처럼 떠 있다.

너의 뒤를 쫓는 나의 발처럼,
나의 뒤를 쫓는 너의 눈처럼,

해와 달도 서로를 응시하며
시곗바늘 움직이는 소리에 초조해하고 있더라.

마치 낭떠러지 앞에 우두커니 서,
서로의 그림자만 바라보는 너와 나처럼,

해와 달도 서로를 응시하며
구름이 멈추지 않음에 아쉬워하고 있더라.

차마 조각낼 수 없는 기억을 품 한가득 안은 채
나는 해를 향해,
너는 달을 향해 절규하고,

차마 그칠 수 없는 울음을 눈 한가득 담은 채
나는 해를 따라,
너는 달을 따라 달려간다.

그렇게 서로에게 등을 돌려
한 걸음, 두 걸음 조금씩 우리 작별하자.

그렇게 서로에게 마음을 돌려,
한 뼘, 두 뼘 조금씩 우리 작별하자.

해가 달처럼 떠 있는 오늘,
비로소 내가 너의 울음을 머금고 돌아서리라.

해방

밤마다 하던 기도를 멈추고
괜찮아지리라는 희망을 버리고
좋은 기분을 위한 노력을 버리고
좋은 말만 들으려 애쓰지 않고
좋은 것만 보려 눈감지 않고

부정이 오면 오는 대로
우울이 오면 오는 대로
기쁨이 가면 가는 대로
인연이 가면 가는 대로
보이는 그대로
느끼는 그대로
내리는 비를 맞듯 우두커니 서 있다 보니

비로소 평화가 왔다.

진통제 같던 긍정을 먹고 살다 보니
미처 곪아가는 줄도 몰랐다.
저주이자 축복이라고 여겨왔던 망각이,
나를 벼랑 끝에서 구해줬고
나를 벼랑 끝으로 몰아갔다.

보고 싶지 않았던,
누더기를 입은 나를 보고 나니
비로소 평화가 찾아왔다.

무선 노트

무엇이 됐든지 간에 한 글자라도 써서 주실 수 있나요?
당신의 이름 석 자 혹은 외자라도 좋아요.
무엇이든 써주세요.

당신이 의미 없다고 생각하는 하나의 글자도 좋아요.
당신이 종이에 그 글자를 쓰는 순간,
그 글자에는 의미가 생겨요.

누군가 그랬죠, 답이 없는 것도 답이라고.
의미가 없는 글자도 종이에 쓰이면 생명력이 생겨나요.

쓰여진 글자는 당신의 기록이 되고
당신의 자취가 되고
당신의 흔적이 되겠지요.

그러니 무엇이든 써주세요
정말 모르겠다면 날 떠올려줘요.
당신의 수필이 될게요.

밤의 소란

정적이 나를 잠에서 깨웠다.
원래부터 깨어있던 사람처럼 눈을 떴다.
보이는 건 천장뿐이었고
들리는 건 먼지들이 자글거리는 소리.

그 먼지 소리가 이끄는 곳으로 더듬더듬 따라가 보니
그곳에는 잘린, 혹은 자른 사진처럼
기억이 조각조각 흩어져있었다.

그 수많은 기억들 중 너의 기억은
마치 일기장처럼 부끄럽게, 그러나 애틋하게
존재감 없이, 그러나 명료하게,
있는 듯 없는 듯, 그곳에 또렷이 남아있었다.

기억은 늘, 불쑥 찾아온 손님처럼 당혹스럽게,
마냥 반갑지만도, 그러나 마냥 불편하지만도 않게,
굳게 닫힌 나의 방문을 두드린다.

불쑥 찾아온 손님 앞에서
이러지도 저러지도 못한 채
난 오늘도 어영부영 너와 함께 하루를 마무리한다.

숲이 말했다

흔들리면 멈추길 기다리고
얼어붙으면 녹아내리길 기다리며,

혼자였다 뒤엉키기를 반복하고
구부러졌다 꼿꼿해지기를 반복하며,
그렇게 살아가라고.

유약이라고 누군가 손가락질하면
유연이라고 누군가에게 숨을 뱉으며
그렇게 숲처럼 살아가라고,

숲이 말했다.

우물 안 독백

도시에 있는 평범한 아파트이다. 베란다를 너머 보이는 건 또 다른 아파트의 베란다 창살.

몇 층인지는 모르겠다. 아래를 내려다보기엔 내 작은 몸뚱이로는 역부족이다.

대략 이 집에, 아니 정확히 말해 이 집 베란다에 오고 가는 사람은 세 명. 아주 가끔 한 명이 더 보인다. 그는 보이는 빈도수가 너무 낮아 이곳에 사는 사람인지는 모르겠다.

도시에서 나를 키우기란 제법 쉽다. 가끔 밥을 주면 되고 가끔 물을 갈아주면 되고 가끔 눈인사 정도만 해줘도 괜찮다. 심지어 겨울에는 자느라 밥도 잘 먹지 않는다.

이 집 사람들은 유난히 말이 많다. 사람 말을 못 하는 나에게 매일 말을 걸고 매일 인사를 해준다. 그렇지만 이곳에서 행복하기란 쉽지 않다. 행복하지 않을 권리가 없기 때문이겠지. 나는 이곳에서 계절의 변화도, 배고픔도, 외로움도 모른 채 살아간다. 모든 게 갖추어져있지만 단 하나도 나의 것은 없다. 기쁨도 슬픔도 외로움도 배고픔도 나의 것이 아니다.

나의 몸집은 점점 커져만 가고 이 사람들이 내어준 김치 냄새나는 대야는 점점 나에게 좁게만 느껴진다. 나는 답답한 마음에 고개라도 내밀어 본다. 목이 제법 길기에, 혹시나 저 태양에 닿을 수 있을까 하여 목이 뽑힐 듯, 있는 힘껏 고개를 내밀어 보지만 역시나 역부족이다.

이 와중에도 매일 밤 꿈을 꾼다. 답답한 이 대야를 성큼성큼 기어 나아가 바다로 가는 꿈. 그곳에는 열에 그을린 모래와 전혀 시원하지 않은 바람과 짠 바닷물이 있고 나는 그곳을 양껏 누빈다. 잠시 후, 시끄러운 사람 소리에 눈을 떠보면 여전히 김치대야. 이따금 이들은 좁게 사는 내가 불쌍하다며 방생 어쩌고저쩌고 얘길 한다. 그럴 때마다 늘 꿈에서만 느끼던 자유가, 웬일인지 간담 서늘하게 다가온다.

상상만큼 아름답진 않겠지. 그곳은 그야말로, 여름은 덥고 겨울은 춥겠지, 그렇지만 최소한, 여름이 덥다는 걸 알고 겨울이 춥다는 건 알 수 있겠지, 여름의 초록이 사랑스럽고 겨울의 입김이 낭만적이라는 건, 분명하게 알 수 있겠지.

이곳에서의 여름은 시원하고, 이곳에서의 겨울은 따뜻하다. 분명 나의 자유에는 대가가 따르리라는 것을 이내 깨닫고 결국 나는 오늘도 대야 밖으로 태양을 향해 고개만 내민다.

나는 서울 사는 거북이이다.

여인의 시선

여인은 넋을 놓고 바라보고 있었다.
그녀의 시선 끝엔 재잘대는 여학생 무리가 있었고
소녀들은 제각기 다른 이유로 웃고 있었다.

한 소녀는 자신의 골계를 뽐내기 위해
의미 없는 농담을 내뱉고 있었고,
다른 한 소녀는 그 소녀의 익살스러움을 비웃고 있었으며
다른 한 소녀는 그 소녀의 우스꽝스러운 얼굴을 비웃고
있었다.

소녀들을 바라보는 여인의 눈빛은 모호했다.

무거운 눈을 보아하니,
돌아갈 수 없는 시절에 대한
작은 연민인 것 같아 보이기도 했고,
올라간 양쪽 입꼬리를 보아하니,
소녀들 사이로 비집고 들어가
무리의 일부가 되려는 듯 보이기도 했다.

지금 생각해 보면 여인은,
어쩌면 새어 나오는 울음을
애써 참고 있었던 것일지도 모르겠다.

한참을 응시하던 여인은 이내,
바지의 허리춤에서 빼낸 듯한,
낡은 고무줄로 질끈 묶여 있던 머리를 풀어 헤치고
눈앞에 마치 거울을 보고 있는 듯 마냥
윤기 하나 없는 머리칼을 정성껏 쓸어내렸다.
여인의 머리카락에는 고무줄 자국이 선명했다.

익숙함에 익숙해져 있던 여인의 오늘이,
있는 듯 없는 듯,
부자연스레 잘도 흘러가고 있던 여인의 오늘이,
이미 어제와는 사뭇 달라지고 있었다.

기쁨과 슬픔, 그 어딘가에 내동댕이쳐진 여인의 눈빛은
점점 더 모호해져만 갔고
여인은 쉬지 않고 마른 머리칼을 천천히 쓸어내렸다.

그 순간 어디선가 바람이 대차게 불어와
여인의 머리칼을 감쌌고,
여인의 머리칼에 남아있는 고무줄 자국은
뙤약볕 아래 더욱 선명하게 보였다.

철교 아래서

철교 밑에서 바라본 빛은
따뜻한 곳을 찾아 떠나는 새떼마냥 우수수 흘러갔어요.

우수수 흘러가는 빛을 바라보는 당신의 눈빛은
그 어느 때보다 선함으로 가득 차 있었고

선으로 가득 찬 당신의 눈빛은
떠나가는 빛들을 다시금 제자리로 돌려놓더군요.

어느새 빛은 자리를 찾아 서둘러 모여 앉았고
모여 앉은 그 자리에 당신은 없었어요.

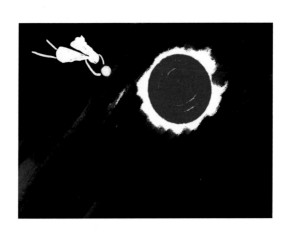

하지만

버스 뒷좌석 꼬마가 엄마에게 말했다.

　　오늘은 국수가 먹고 싶어.

엄마는, 늘 있는 대화라는 듯
익숙한 대답을 내놓는다.

　　낮에도 국수를 먹었잖아.

꼬마는 처음 하는 대화처럼
제법 강단 있게 대답한다.

　　하지만 난 국수가 좋은걸.

'하지만'이라는 접속사를 사용해 본 지가 언제인지, 뒷좌석 꼬마가 '하지만'이라는 접속사에 실어 보내는 말의 무게가 어찌나 무겁던지. 새삼 경이로워 그날 온종일 '하지만'이라는 단어가 머릿속을 떠나지 않았다.
언제부터인가 말에 싣는 무게가 가벼워졌고, 내가 내뱉는 말이 무슨 의미인지조차 알아차리지 못한 채 단어들은 속절없이 바닥으로 내던져졌다.

내던져진 단어는 주워 담을 수조차 없다.

예전에는 후회라도 했었던 것 같은데, 이젠 후회조차 하지 않는 무책임한 생물이 되어버렸다. 떨어져 있는 수많은 단어 중에 무엇이 내 입에서 떨어져 나간 것인지 당최 알 수가 없다.

버려진 단어들 위에서 나는 유영하게 될 것인지
혹은 방황하게 될 것인지 모르겠으나 분명한 건,
수많은 단어들이 나에게서 내던져졌고,
난 그것들과 영영 조우할 수 없음을 나는 알고 있다.

네가 던진 단어인지, 내가 던진 단어인지 모를, 이 버려진 말들 속으로 오늘은 조심스레 산책을 나가본다. 발에 치이는 나의 말에 상처를 입기도 하고, 얼굴에 와 닿는 너의 말이 연고가 되기도 하며 보기 좋게 잘 익은 말들은 열매를 수확하듯 정성스럽게 품에 안는다. 그리고 생각한다.
이 잘 익은 열매들을 내일 너에게 보내야지, 라고.

벼랑 끝에 서게 되자
가장 사랑하던 것을
가장 증오하게 되었다.

시간의 몫

시간은 어제와 같이 태평히 흘러가는 데
나는 흐르지 못하고 있었다.

바다도 어제와 같이 흘러가는 데
그사이에 박힌 돌 마냥
나만 흐르지 못하고 있었고
흐르는 바다에 조금씩 깎여 침식되어 가고 있는데
나는 여전히 흐르지 못하고 있었다.

걱정과 고민도 사치라는 것을 잘 알고 있고
심지어 울음까지도 사치라는 것을 잘 알고 있으며
내게 더는 선택권이 없다는 것도 너무나 잘 알고 있고
호기롭게 출발은 했으나
도착지가 없다는 것도 잘 알고 있다.

선택은 시간에게,
결과는 세계에게 맡긴 채,
지금은 다소 무력하게 박힌 돌로 머물면서
이게 최선이라 믿으며 내게 최면을 걸어본다.

설익은 쌀알을 씹지 않고 삼키듯,
터져 나오는 울음을 목구멍으로 힘겹게 삼키며

바다가 나를 데리고 가길, 조심스레 바람을 품어본다.

조금씩 침식되다가 완전히 부서지면
비로소 사라질 수 있겠지,
비로소 바다에 둥둥 떠다닐 수 있겠지, 라는
먼지 같은 희망도 잠시 품어본다.

사계

봇짐을 짊어지고 걸어가던 나의 눈에
한 노인이 선명하게 들어왔다.
눈에 띄는 사람도 아니었고
한 닢 쥐어주고 싶을 만큼 앙상하고 볼품없는 노인이었다.

마치 마른 장작 같던 노인은
내리쬐는 태양에 금방이라도 타들어 갈 것만 같았고
그 작은 몸으로 물지게를 양어깨에 이고
터벅터벅 어딘가로 걸음을 옮기고 있었다.

그 느린 걸음조차도 따라갈 기운이 없어
힘겹게 따라잡은 나는 노인에게 대뜸 물었다.

　　어떻게 극복하며 살아오셨소.

노인은 말했다.

　　단 한 번도 극복한 적 없지.

추위를 견디기 위해
내의 위에 내의를 입고
그 위에 버려진 웃옷을 주워다 입고, 그러다 보니

더 이상 껴입을 수조차 없을 만큼 몸이 둔해졌고
그제야 봄이 왔노라,

그래서 다 벗어던졌더니
어느새 또 겨울이 왔고
그렇게 입고 벗기를 평생 반복하며
보통의 사계를 살아가고 있노라,

노인이 말했다.

산책

빌딩 숲이 좋았다.
기쁘지도 슬프지도 않고
무료함이 바람을 대신하며,
계절이 바뀌면 바뀌는 대로
아름답지도 아름답지 않지도 않은,
보통의 사람들과 보통의 풍경들,
보통의 그것들이 내게 안도감을 주었고,
보통의 마음이 아니었던 나는
그런 보통의 도시가 좋았다.

변화가 두려웠고
그 변화를 따라가지 못하는 나는 꽤 처절했고
어떻게 해서든 잠시나마 변화를 피해 도망치고 싶었고
그렇게 도망친 곳이 빌딩 숲이었다.
누군가는 변화하지 않음에 슬퍼했고
누군가는 변화에 녹슬어갔다.

지나가는 오늘에게

생각을 멈추는 일은
걸음을 멈추는 일보다 훨씬 어렵다는 것을,
멈추지 않으면 보거나 들을 수 없다는 것을,
그대도 이미 알고 있겠지만.

눈을 정면에 두고
오롯이 보이는 것에만 생각을 두고
오롯이 들리는 것에만 마음을 두며,
공기에 저항하지 않고
오는 바람 막지 않으며
가는 오늘 막지 않고.

그대에게 매여있는 고리를 조심스레 풀어
빈 옆자리에 내려놓고,
미움은 미움대로
슬픔은 슬픔대로
잠시 서서 우두커니 그 흐름을 바라보다,
힘들면 주저앉아보기도 하고
그렇게 그대, 오늘과 어렵지 않게 작별했으면.

내가 글을 쓰는 이유

이런저런 모든 근심과 망상은
이내 글이 된다.

시시콜콜한 농담도,
농담이 섞여 농도가 옅어진 진담도
이내 글이 된다.

당신과의 하찮은 추억도,
아직은 입 밖으로 꺼내기가 힘든,
공소시효를 기다리는 기억도
이내 글이 된다.

나의 한숨도 당신의 한숨도,
이름조차 모르는 이의 한숨도
이내 글이 되고
나의 고백도 당신의 무지도,
결론을 내지 못한 다툼도
이내 글이 된다.

이런저런 모든 절망과 도약,
굴복과 극복, 죽음과 소생,
그리고 어쭙잖은 나의 희망까지

어느 하나 빠질세라 모두 글이 된다.

나의 간절함도 너의 간절함도,
나의 외로움도 너의 외로움도,
나의 기도도 너의 기도도,
모두 글이 된다.

눈이 녹는다고 너무 슬퍼하지 않았으면.
낙엽이 진다고 너무 슬퍼하지 않았으면.
가는 초록 불러 새워 오는 초록 망설이게 하지 않았으면.

소녀야

소녀야
살아가면서 결심은 함부로 하지 않기를.

긴 고민의 끝이 부디 결심은 아니기를,
결심이라는 말 한마디로 너의 세계를 속박하지 않기를,
구멍 난 마음을 결심으로 채우려 애쓰지 않기를,
벌어진 마음 사이로 결심을 욱여넣지 않기를.

소녀야
좋은 씨앗을 타인에게 받을 순 있지만
씨앗을 심을 땅을 비옥하게 만드는 건 결국
너의 손과 발이라는 것을 너무 늦게 깨닫지 않기를.

나의 간절함이
너에게 가까이 가기를.

숨쉬기 운동

오고 가는 사람들 사이로
계절이 한 움큼 지나갔다.
머무른 시간은 고작 한 시간 남짓,
어째서인지 나는 내가 지나온 그 모든 계절을
앉은 자리에서 죄다 뒤집어쓰고는
요란하게 울기 시작했다.

슬픔이 밀려오는 속도는 폭풍을 넘어 벼락같았다.
너무 갑작스러워 당황할 새도 없이 눈물이 와락 쏟아졌다.
눈물은 눈에서 나온다는 건 익히 잘 알고 있었으나
이 울음의 근원지가 어디인지 도무지 알 수가 없던 터라,
입을 틀어막아 보고
우스꽝스레 코도 막아보고 했지만
나의 포효는 그치지 않았다.

구토 같았다.
슬픔은 구토같이 밀려와
순식간에 나를 결박으로부터 끄집어냈다.

그 순간이 꿈이었는지 현실이었는지 모르겠으나
아무튼 정말 오랜만에 숙면했다.
그렇게 또 한 계절이 간다.

선택

크리스마스를 앞둔 어느 겨울밤이었어요.

초등학교를 막 입학한 나는 4살 터울의 오빠와 아웅다웅하고 있었지요. 무엇 때문에 다투는 지조차 이내 까먹고는 목청만 높여가며 서로 잡아먹지 못해 안달이 나 있었어요. 나는 온 힘을 다해 저항했지만 4년이란 시간은 내가 생각했던 것보다 훨씬 큰 장벽이었습니다. 난 결국 오빠를 이기지 못하고 분함과 억울함에 울음을 터뜨렸지요.

정말이지, 왜 싸웠는지조차 기억나지 않지만, 그때 그 억울함은 아직도 마음을 울렁거리게 해요.

얼마나 울었을까, 막 퇴근하신 아빠가 눈물 콧물로 범벅이된 나의 오른손을 이끌고 마당에 있는 우리 집 빨간 차로 향했어요. 그러고는 조용히 트렁크를 열어 곰돌이 인형을 꺼내주셨죠. 그 곰돌이는 크리스마스를 위한 선물이었는데, 내 기분을 풀어주시고자 미리 공개하신 거였지요.

난 행복했어요.

행복했던 기억, 이라는 주제로 입을 연다면 난 단연 이 기억을 가장 먼저 꺼내곤 해요.

떠올릴 때마다 생각해요, 그 다툼이 일어난 날이 크리스마스를 앞둔 때가 아니었다면, 혹은 더 나아가 크리스마스 선물을 아빠가 미리 사놓지 않으셨다면 나의 그날 밤은

62

어디로 흘러갔을까, 우습지만 생각만으로도 아찔해져요.
만약 그랬다면 그 밤은 '가장 행복한 기억', 그 반대로 남아있겠지요. 당신의 생각보다, 그리고 당신이 애쓰는 것에 비해 삶은 수많은 '우연'과 그 우연이 가져온 '선택'에 의해 흘러가요. 그러니 너무 애쓰지 않기를.

결국 그 날도 '우연'과 그 우연이 가져온 찰나의 '선택'이 평생의 기억을 만들었어요.

당신은 오늘 어떤 우연과 선택을 마주했는지 물어보고 싶어요. 괜찮아요, 선택하지 않은 것도 선택이에요.

괜찮아요, 당신은 당신이 그때 그 순간 할 수 있는 최선의 선택을 한 거예요.

그러니 괜찮습니다.

답장

나를 만류하던 당신도
나를 나무라던 당신도
타인을 나보다 사랑하던 당신도
타인을 당신보다 사랑하던 당신도
넘어진 나를 일으켜 세우지 않았던 당신도
당신을 가장 필요로 했을 때 부재였던 당신도
나를 필요로 하던 당신도
미움을 가장한 당신의 사랑도
서툰 당신의 다정함도
나를 미워하던 당신도
당신을 미워하던 당신도
더는 미워하지 않습니다.
그러니 평안하세요.

시인과 나

시인에게 말했다.
내가 당신의 시가 되겠노라고.

불편한 오늘을 벗고
내일의 당신에게 기대어
보잘것없는 용기와 용서를 안고

비로소 당신의 시가 되겠노라고.

시인은 말했다.
내가 당신의 이야기가 되겠노라고.

불안한 어제를 떠나
무너진 오늘을 벗 삼아
곧 닳아 없어질 연필 한 자루를 손에 쥐고

비로소 당신의 이야기가 되겠노라고.

우리는 숨죽여 세상의 대답에 귀를 기울였고
우리를 에워싼 무거운 공기는
결국 아무 대답도 하지 않았다.

시인과 나를 중심에 두고
바람은 아무런 언질 없이
내일의 태양을 끄집어 올릴 뿐이었다.

기억의 터

향을 피우면 그 향기가 며칠은 그 자리에 머물러있다.
피우는 순간보다 되려,
모두 태우고 난 후 남겨진 잔향이 더 강하게 와 닿는다.
분명 모두 소모되었음에도
향기는 생생하게 남아있음에 매번 똑같이 놀란다.

그렇게 남겨진 향은
바람이 오고 가도, 사람이 오고 가도,
며칠은 그 자리에 머물러있다.
솟아오른 향기들은 아마도 공기 중을 떠돌다
어딘가에 소리 없이 내려앉는 거겠지.

나의 옷, 나의 책상, 나의 일기, 나의 침대.
어딘가에 질서없이 내려앉아
그곳에서 또다시 소모되길 기다린다.
그렇게 하루, 이틀이 지나면 비로소 영영 사라진다.

좋은 기억도, 나쁜 기억도 머릿속을 헤집고 돌아다니다,
이내 어딘가에 자리를 잡고 땅을 파내어
그 자리에 터를 만들고 집을 짓고 나무도 심고,
그렇게 한자리를 꿰차고
오래도록 나를 기쁘게, 혹은 몸서리치게 만든다.

기쁘다가도, 슬프다가도 불현듯 생각한다.
그래, 네 녀석들도 언젠가는 소모되어 사라지겠지,
좋은 기억도, 나쁜 기억도 언젠가는 똑같아지겠지.

집 지으러 갑니다

한때는 당신이 내 이야기의 주인공이라
굳게 믿었던 때가 있었습니다.
당신이 내 이야기를 이끌어가리라 기대했지만
당신 또한 나의 이야기만큼 나약하다는 것을 깨닫고는,
이내 기대를 내려놓았습니다.
그래서 나 이제 쓰던 걸 멈추고
잠시 연필을 내려놓고자 합니다.

한때는 당신에게 나의 소망을 맡기고자 했던 것 같습니다.
내가 나의 소망까지 도달할 수 있게,
어쩌면 당신이 나를 이끌어가리라 기대했지만
당신 또한 나의 소망만큼이나 불안하다는 것을 깨닫고는,
이내 기대를 내려놓았습니다.
당신 또한 불안한 소망을 품고
당신의 이야기를,
심지어 나의 이야기까지 이끌어가고자 노력했겠지요.

누군가의 소망이 된다는 건
그 사람에게 집을 내어주는 일이기도 합니다.
그래서 지금의 당신과 내겐 감당하기 어려운 일입니다.
우선은 우리, 각자의 보금자리를 마련했으면 합니다.

비로소 서로의 소망이 될 수 있을 때,
우리 다시 만나길.

바람에도 태풍에도 견뎌줄 수 있는 집을 짓고,
문을 열면 시각도 후각도 긴장이 풀릴 만큼
아름다운 정원을 가꾸며,
부지런히 각자의 보금자리를 일궈내다
훗날 주저 없이 서로를 초대할 수 있을 때,
우리 그때 다시 만나길.

고맙습니다, 사람.
살아있기에 살아가는 것이 아닌,
살고 싶기에 살아가는 그런 나날을 선물해 줘서
마음 다해 고맙습니다.

서로의 이야기 속 '주인공'이 아닌,
비로소 각자 이야기의 '주인'이 될 수 있을 때,
그때 우리 다시 만나길.

나의 소식

점점 시야가 좁아진다.
세상을 보는 관점, 혹은 사람을 보는 추상적인 시선 따위
를 말하는 게 아니라 말 그대로 시야가 좁아지고 있다.
예전에는 너의 눈을 바라보면
너의 아름답지만, 고집스러운 눈썹과
작지만 다부진 귀까지 보였는데
이제는 내가 좋아하는 네 눈동자만 선명하게 보인다.
무슨 말인가, 싶겠지만
그리고 너는 영영 모르겠지만, 정말이다.

　너의 눈동자는 점점 더 선명해지겠지만
　나의 시야는 점점 더 흐려지겠지.

오늘도 깊어진 너의 눈동자를 보면서 나는 생각한다.
눈앞에 암전이 서서히 일어나고 있는 지금,
그나마 백색을 잃지 않던 너의 흰자에마저
까만 이끼가 생기기 시작했다.
지금 내 얘기만 들으면 참으로 절망적이겠지만
우습게도 난 요즘 몹시 편안하다.
그러니 숙연해지진 말 것.

아직 좀 더 살아봐야 알겠지만,
온전히 눈앞에 어둠이 내려와야 분명히 깨닫겠지만,

묘하게도, 눈앞이 캄캄해질수록
편안해지는 마음의 영역도 있다.
언젠가는 맞닥뜨려야만 하는 시야였고
언제 날아올지 모르는 손찌검을 기다리듯,
매일 겁에 질린 상태로 살았다.
결국 기다리던 손찌검이 날아왔고
난 피할 새 없이 정통으로 맞아,
바닥으로 내동댕이쳐졌다.
내가 내동댕이쳐진 이곳엔 더 이상의 나락은 없다.
결국 이 고통에서 벗어나는 방법은
고통으로 뛰어드는 방법뿐이었던 것 같다.

보내지 않을 편지, 왼손

너무 슬퍼서 눈물조차 나질 않는 데
모순되게도, 누군가 내 이름을 부르면
그 순간 눈물이 왈칵 터질 것 같이 사무치게 슬픈 저녁.

내 이름을 불러달라 말하기 위해
호기를 부려 염치없이 당신에게 전화했지만
나의 슬픔에 당신마저도 울어버릴까, 결국
밥 먹었니, 라는 안부만 남기고 나는 전화를 끊는다.

잠이라도 청해보지만 좀처럼 시끄러워서 잘 수가 없다.
이 소음이 내 창문 밖에서 들려오는 소리인지,
내 마음이 산산조각 나는 소리인지 모르겠다.

당신도 그런가.
당신도 이 모든 슬픔을 혼자 먹었는가.
그 생각에 또 아프다. 또 슬프다.

고스란히 그대에게 닿았다.

나는 그곳에 있었다.

차가운 아스팔트 위 우뚝 선 기둥,
그 꼭대기 어딘가를 간신히 부여잡고

나는 그곳에 매달려 있었다.

기둥과 맞닿은 벌거벗은 내 몸은 감각을 잃어갔고
기둥과 마주 선 새까매진 발등은 갈 곳을 잃어갔다.

수치스러울 새도 없이
두려움에 잡아먹힌 나는 온몸을 파르르 떨고 있었고
올라가고자 발을 버둥거리다 보니
내 발톱 긁히는 소리만 울려 퍼졌다.

올라가리란 희망, 또는 내려가리란 용기는
이내 미련임을 깨닫고
비로소 마지막을 직감하며 내려다본 아래,

그대가 그곳에 있었다.

실오라기 하나 걸치지 않은 나의 몸뚱이를 뒤에서 껴안고
그대는 사뿐히, 아스팔트 위로 내리 앉았다.

밧줄을 타고 올라왔는지,
날아올라 왔는지,
그런 것 따윈 중요치 않았다.

나는 그저 그 순간,
차마 고개를 돌려 그대 얼굴을 만질 수도 없었고,
차마 고개를 돌려 그대 품에 안길 수도 없었다.

그래도 그대는 그곳에 있었다.

난 그렇게 고스란히 그대에게 닿았다.

너의 기록

너는 말했다.

　어제의 기억이 추억이 되어
　나는 그 추억으로 당분간 행복할거야, 고마워.

나는 적지 않게 충격을 받았다.
삶의 양분은 결국 기억이라는 것을,
알고 있었지만 잊고 살았던 너의 성씨처럼 번뜩였다.
기억할 것이 생겼음에 감사하고
그 기억을 선물해준 이에게 또 한 번 감사를 전하던
너의 정성스런 마음이 나를 며칠은 먹여살릴 터.

어제도 해가 떴고
오늘도 해가 떴고
내일도 해가 뜰 것이라는 건
당신의 이름처럼 익히 잘 알고 있었지만,
뜨는 해를 바라보는 나의 생각은
손바닥 뒤집는 일처럼 쉽고 당연하게 바뀐다.

비오는 아침이 주는 안정감이 있고
구름 한 점 없는,
맑고 청명한 하늘이 가져다주는 위화감도 당연히 있을 터.

날씨 따윈 더는 중요치 않다.
오늘 아침이 행복하지 않다고 하여
난 슬퍼하지 않기로 했다.

보내지 않을 편지, 오른손

그날 저녁 전화 너머 들리던 당신 목소리가
어찌나 무겁던지.
무슨 일 있니, 물어보고 싶었지만
아무 말도 하지 않는 당신에게
나 역시 아무 말도 할 수 없었다.

안 하는 건지, 못하는 건지
어떤 이유에서든 말하지 않는 데엔
그만한 이유가 있을 것만 같아서,
차마 묻지 못했다.

나의 목소리를 들으며
잠시나마 그 슬픔에서 벗어나기 위해
전화통을 붙잡고 있는 것만 같아서,
당신의 슬픔이 무엇이냐고 묻지 못했다.
내가 함께 슬퍼하면 당신은 더 슬퍼할 것만 같아서
차마 묻지 못했다.

그런데 당신, 이것만은 알아주었으면 좋겠다.
우리 함께 기뻐했던 그날을 기억하는지.
기쁨에도 눈물이 쏟아질 수 있다는 것을
몸소 함께 깨달은 그 날을 기억하는지.

당신과 기쁨을 함께하던 그 순간,
당신과 슬픔 역시 함께 하기로 다짐했다.

그러니 당신,
나의 다짐을 기억해 주길,
부디 그래 주길.

고스란히 그대에게 닿았다

발 행 | 2024년 08월 09일
저 자 | 노소영
펴낸이 | 한건희
펴낸곳 | 주식회사 부크크
출판사등록 | 2014.07.15.(제2014-16호)
주 소 | 서울특별시 금천구 가산디지털1로 119 SK트윈타워 A동 305호
전 화 | 1670-8316
이메일 | info@bookk.co.kr

ISBN | 979-11-410-9837-7

www.bookk.co.kr